Direction artistique :
Mireia Casanovas Soley

Coordination éditoriale :
Simone Schleifer

Coordination de projet :
Macarena San Martín

Textes :
Esther Moreno

Mise en page :
Esperanza Escudero

Traduction :
Jean-Marc Bendera
pour LocTeam, Barcelone

Maquette de couverture :
Mathilde Dupuy d'Angeac

Projet éditorial :
2008 © LOFT Publications | Via Laietana, 32, 4.°, Of. 92 | 08003 Barcelone, Espagne
www.loftpublications.com

2008 © Éditions Place des Victoires, 6, rue du Mail - 75002 Paris, pour la présente édition

ISBN : 978-2-84459-187-6   Imprimé en Chine
Dépôt légal : 2ᵉ trimestre 2008

VILLAS FACE À LA MER

ÉDITIONS
PLACE DES
VICTOIRES

« La différence entre un paysage et un autre est peut-être infime, mais la différence entre ceux qui le regardent est immense. »

Ralph Waldo Emerson, écrivain, philosophe et poète américain

Cette habitation typique de la Floride a été spécialement conçue pour combler la passion de ses propriétaires pour la voile et l'océan. Un ponton privé a été installé à l'arrière du bâtiment et les deux chambres qui donnent sur la mer bénéficient de vues époustouflantes. La couleur du parquet de cette élégante demeure contraste avec la blancheur des murs.

Résidence Strauss

Barry Sugerman

Miami, Floride, États-Unis

Accolé à la galerie menant à la cuisine, au séjour
et à la salle à manger, un petit espace, idéal
pour y prendre son petit déjeuner, surplombe
la terrasse.

L'idée directrice qui a préludé à cette construction était de rompre avec la tradition des murs perpendiculaires au sol. Un plan minutieux a permis aux architectes de créer une maison dans laquelle prédominent les formes dynamiques et arrondies. L'élément le plus frappant de cette structure est l'escalier en aluminium qui mène au loft – lequel est relié par un pont à la chambre à coucher.

Résidence Iguanzo

Luis Lozada
Nury Feria, Luis Lozada

Miami, Floride, États-Unis

Le mobilier original de cette maison, aux lignes rappelant un style rétro et kitsch, a été spécialement conçu par l'architecte, également designer industriel.

La structure de cette habitation est cachée derrière une dune et s'adapte
à la pente naturelle du terrain. Protégée à l'arrière par un domaine forestier
public, la maison est invisible depuis e flot urbain et gagne ainsi en intimité
et en isolement.

Maison à
Eastern View

Hayball Leonard Stent

Victoria, Australie

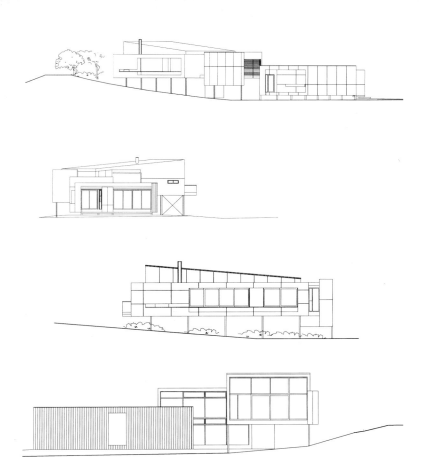

Différentes vues montrant les niveaux de la maison

Le client souhaitait une maison exploitant
au mieux l'impressionnant décor naturel.
Un bosquet cache partiellement la maison
de la vue des passants et offre l'intimité
souhaitée par les propriétaires.

Cette construction fin XIXᵉ a été rénovée dans le but d'harmoniser les différents espaces entre eux et de les ouvrir complètement sur la mer, sans pour autant modifier l'apparence extérieure d'origine. Les espaces communs et les zones de loisirs ont été rassemblés au rez-de-chaussée, tandis que le bain à remous a été installé au sous-sol.

Résidence sur la Côte d'Azur

CLS Architetti

France

L'apparente simplicité de la décoration témoigne
en réalité d'un style audacieux et élégant,
typique d'une demeure de luxe que l'on peut
rencontrer sur la Côte d'Azur.

Ce plan est un exemple réussi d'architecture intégrée à un décor naturel aussi spectaculaire que la côte péruvienne. Les architectes sont parvenus à respecter l'environnement en concevant la maison comme un volume solide ancré dans le terrain et en parfaite harmonie avec le paysage – lequel a d'ailleurs influencé le choix des couleurs et des matériaux.

Maison Equis

Barclay & Crousse

Cañete, Pérou

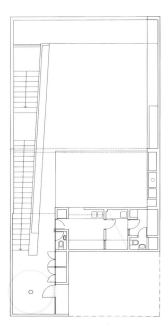

Plan d'étage

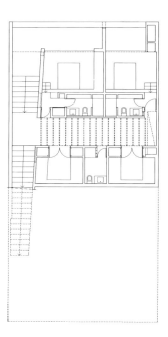

Premier étage

Une terrasse spacieuse, conçue comme une plage artificielle, se prolonge jusqu'à l'horizon par une étroite piscine originale. Un lieu sous le signe de l'air et de l'eau.

57

Cette maison en bord de plage se distingue par les contrastes entre l'intérieur et l'extérieur. Sa façade anguleuse dissimule un monde dominé par les courbes de la structure et marqué par l'emploi chaleureux du bois pour les meubles et l'escalier. À l'intérieur, de petites pièces confortables sont juxtaposées à de spacieux volumes comme le salon, sur trois niveaux.

Maison à Capistrano Beach

Rob Wellington Quigley

Californie, États-Unis

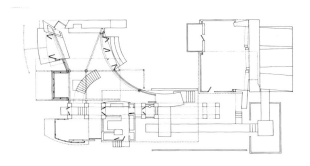

Plan d'étage

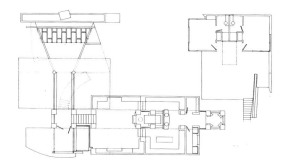

Premier étage

Une cour intérieure délimitée par des murs de verre courbes abrite un petit jardin soigné. Un espace non seulement charmant, mais également frais, où les occupants peuvent se réfugier durant les heures les plus chaudes de la journée.

Cette majestueuse résidence est située au bout d'une allée bordée de palmiers. À l'entrée, un hall monumental aux murs de verre permet d'apercevoir le bar, la piscine et la chute d'eau dans le jardin. Au premier étage, la chambre à coucher est reliée à la terrasse par une passerelle. Un escalier extérieur permet également d'y accéder.

Résidence Leboss

Barry Sugerman

Miami, Floride, États-Unis

La décoration raffinée de cette résidence fait
appel à des matériaux nobles comme le marbre
et le verre et à des couleurs froides comme le
violet, le bleu et le vert.

Les propriétaires ont chargé l'architecte et designer vénézuélien Luís Lozada de rénover cette maison de 1 280 m². Il s'est principalement attaché à mettre en valeur l'intérieur de l'habitation, en créant un lieu confortable et accueillant, offrant des vues spectaculaires sur la jetée.

Résidence Penzon

Luís Lozada

Miami, Floride, États-Unis

D'influence principalement africaine, les sculptures,
le mobilier et les tissus disséminés dans la maison
se marient harmonieusement aux tons ocre du
bâtiment.

La résidence Jennings se trouve à quelques mètres à peine du bord d'une falaise, face à l'océan Indien, sur la côte sud de l'Australie. Les vues incroyables et la rigueur du climat ont déterminé le design de la maison. La solution retenue a été de créer un ensemble conçu comme un volume intégré au paysage.

Résidence Jennings

Workroom Design

Warrnambool, Australie

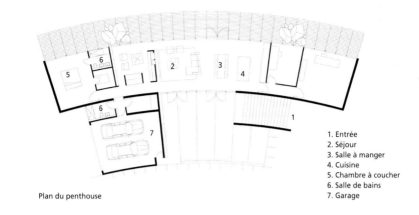

Plan du penthouse

1. Entrée
2. Séjour
3. Salle à manger
4. Cuisine
5. Chambre à coucher
6. Salle de bains
7. Garage

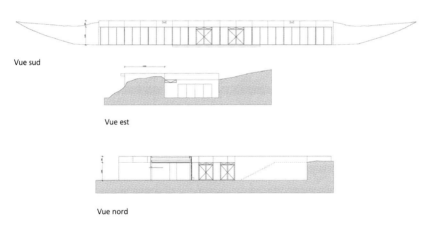

Vue sud

Vue est

Vue nord

Le plan du sol ressemble à un immense espace contenant juste quelques séparations et un cœur réservé à la cuisine, au salon et à la salle à manger. Les lignes élégantes et dépouillées de la maison trouvent un écho à l'intérieur.

Détails de construction

Tous les espaces, à l'exception du garage,
s'ouvrent sur la grande terrasse face à l'horizon,
d'où les occupants peuvent admirer l'océan
et de spectaculaires couchers de soleil.

Un gazon merveilleusement entretenu, regorgeant de plantes aux couleurs vives et d'arbres tropicaux, marque l'entrée de cette résidence. Le style classique confère à cet intérieur élégance et raffinement. Derrière la maison, le jardin et la piscine, séparés uniquement par un petit espace servant de quai, semblent se fondre dans la mer.

Maison à Sunset Island

Wallace Tutt/Tutt Renovation & Development

Miami, Floride, États-Unis

Cette maison s'organise sur deux niveaux.
Le rez-de-chaussée est occupé par le salon, la
salle à manger et la cuisine, ornée de voûtes
semi-circulaires ; les chambres se trouvent à
l'étage supérieur.

Construite sur des formations de lave de la côte ouest de Maui, cette maison est un exemple spectaculaire de l'opposition entre civilisation et nature. Les récifs qui protègent ce bout de côte ont permis aux architectes de placer la maison au plus près des brisants. La proximité avec l'océan et une exigence d'intimité et de sécurité ont été les maîtres mots de ce projet.

Résidence Dunbar

Nick Milkovich, Arthur Erickson

Hawaï, États-Unis

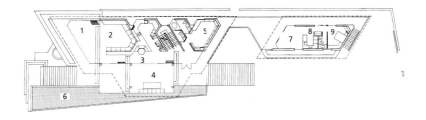

Rez-de-chaussée

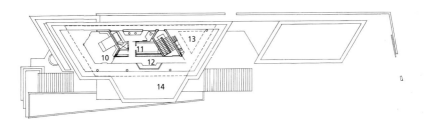

Étage supérieur

1. Salle de séjour inférieure
2. Salle de séjour supérieure
3. Salle à manger
4. Véranda
5. Bibliothèque

6. Piscine
7. Séjour/salle à manger (invités)
8. Cuisine
9. Chambre d'invité

10. Chambre principale
11. Salle de bains principale
12. Bureau
13. Volière
14. Terrasse aménagée

La structure angulaire de cette maison, entourée par une végétation luxuriante et pratiquement submergée par les eaux agitées du Pacifique, évoque la forme d'un bateau fendant l'océan.

Le terrain n'étant pas plat, les architectes ont adapté leurs plans, pour optimiser l'espace constructible et offrir la meilleure vue possible. À l'arrière du bâtiment, soit au niveau de la rue, la construction s'élève sur deux étages. Avec la pente du terrain, à l'avant de la maison, un seul étage subsiste. La terrasse et le salon offrent un somptueux panorama sur la mer depuis la falaise.

Maison Gontovnik

Guillermo Arias, Luis Cuartas

Barranquilla, Colombie

La cuisine et la salle à manger se trouvent à
l'étage intermédiaire, autour d'une cour intérieure
centrale. La luminosité et la chaleur des matériaux
rendent ces espaces particulièrement accueillants.

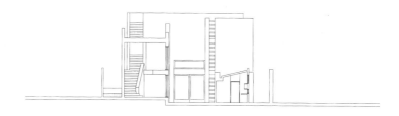

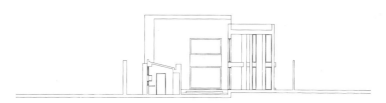

Vues en élévation

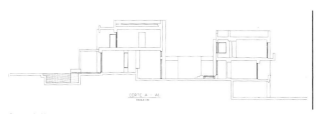

Coupe A-A'

Un plan complexe et séduisant a permis
aux architectes de pallier les inconvénients liés
à la situation particulière de cette habitation.
Les différents niveaux donnent l'impression de
s'élever jusqu'à un point d'observation stratégique.

Le plan de cette résidence située à Playa Hermosa, dans la ville de Los Angeles, est organisé sur trois niveaux. Les commanditaires souhaitaient une maison combinant des espaces réservés aux invités et aux réceptions et des zones plus privées. Les trois étages s'ouvrent sur des terrasses faisant face à la mer, permettant ainsi aux occupants et aux hôtes de profiter du paysage.

Résidence Reyna

Dean Nota

Los Angeles, États-Unis

Plan du deuxième étage

Plan du premier étage

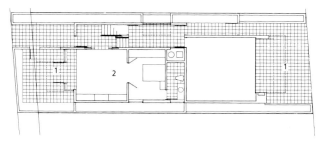

Plan du rez-de-chaussée

1. Terrasse
2. Chambre à coucher
3. Salle de bains
4. Séjour

5. Bar
6. Salle à manger
7. Cuisine

La chambre d'hôtes et le salon se trouvent
au rez-de-chaussée. Le salon bénéficie de vues
imprenables, notamment sur la péninsule de
Palos Verdes et l'île de Santa Catalina.

La végétation constitue l'un des principaux éléments de cette spacieuse habitation. Espaces intérieurs et extérieurs s'unissent parfaitement grâce à la présence de baies vitrées ouvrant sur le jardin exotique abritant orchidées et palmiers. La terrasse et la piscine complètent ce lieu de repos idéal par les chaudes journées de Palm Island.

Maison à Palm Island

Alfred Browning Parker

Miami, Floride, États-Unis

L'art joue un rôle prépondérant dans cette
maison. Sculptures et peintures ornent les murs
et les pièces, jusque dans la cuisine et les salles
de bains.

L'originalité de cette habitation tient aux matériaux de construction utilisés, inhabituels pour une maison en bord de plage. Un sentier en bois mène à la demeure constituée de deux parties distinctes : le corps principal, endroit idéal pour bavarder et contempler l'océan, et l'annexe pour les invités, également utilisée comme atelier de peinture.

Maison sur Fire Island

Bromley Caldari, Jorge Rangel

New York, États-Unis

Le sol est en briques. Les lambris en cèdre et
en pin associés aux poutres apparentes donnent
une impression d'espace.

La complexité du design de cet ensemble résidentiel s'explique essentiellement par la pente du terrain sur lequel il est construit. La topographie existante a été mise à profit pour créer plusieurs espaces distincts. Les maisons, placées à des hauteurs différentes, offrent plusieurs points de vue sur le paysage et la baie.

Villa Nautilus

Jaime Varon, Abraham Metta,
Alex Metta/Migdal Arquitectos

Acapulco, Mexique

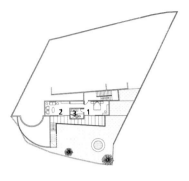

Plan du premier étage

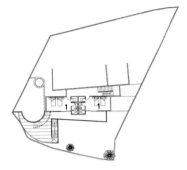

Plan du deuxième étage

Plan du troisième étage

1. Chambre à coucher
2. Séjour
3. Salle de bains
4. Salle à manger
5. Cuisine
6. Piscine

Les parties privées sont regroupées à l'étage supérieur. Les différents espaces jouissent tous de vues imprenables sur les environs.

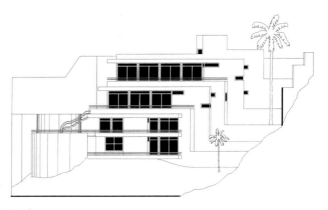

Façade

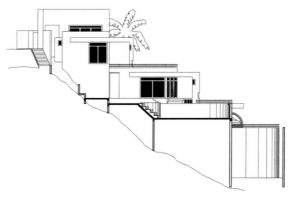

Vue de côté

Si construire sur un terrain pentu n'est pas aisé, cette difficulté a été contournée grâce à de massifs murs porteurs, de solides dalles et des voûtes.

La maison Poli se dresse majestueusement sur une falaise face à la mer ; posée sur une plate-forme, elle trône face au paysage. Les architectes pensaient la placer encore plus près du bord, mais cette idée a dû être abandonnée pour des questions structurelles qui ont de surcroît déterminé le plan de la construction.

Maison Poli

Pezo Von Ellrichshausen Arquitectos

Péninsule de Coliumo, Chili

Les problèmes posés par l'implantation de la maison sur un sol argileux avec une base de granite ont imposé la création d'un volume compact sur une superficie minimale.

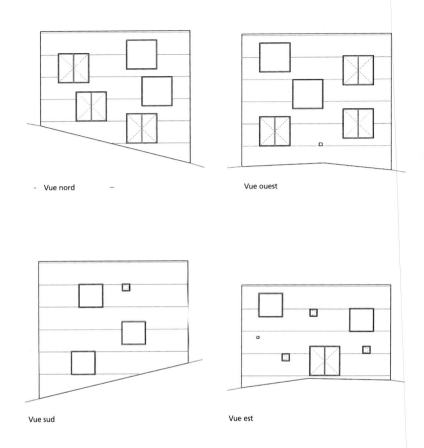

- Vue nord   –

Vue ouest

Vue sud

Vue est

L'intérieur de la maison est une masse
vide aménagée comme un espace continu.
Malgré l'épaisseur des murs, l'intérieur
donne une impression de légèreté.

Cette maison est dotée de vues imprenables sur l'océan Pacifique. Elle compte deux volumes horizontaux suspendus, traversés par un axe en béton vertical qui sert de colonne vertébrale à l'ensemble. Le premier volume, réduit et compact, abrite les zones privées, tandis que les espaces communs se situent dans le second volume, plus spacieux et lumineux.

Maison Reutter

Mathias Klotz

Cantagua, Chili

1. Entrée
2. Cuisine
3. Salle de bains
4. Chambre à coucher
5. Séjour
6. Terrasse

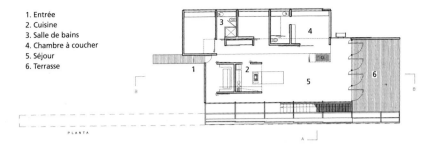

Plan d'étage

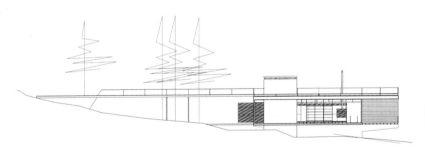

Coupe longitudinale

Située sur les pentes d'une pinède surplombant la plage de Cachagua, cette maison a été conçue pour offrir à ses occupants les plus belles vues sur la côte et constituer un élément dynamique intégré à son environnement.

La simplicité de ce refuge aux lignes subtiles et aux espaces lumineux évoque les constructions traditionnelles de la région, notamment le parement de bois habillant la façade. Avec la mer en arrière-plan, la maison semble lumineuse ; du point de vue opposé, elle apparaît comme une construction attrayante qui réinterprète le paysage.

Maison Ugarte

Mathias Klotz

Maitencillo, Chili

À l'intérieur, le sol et les murs sont recouverts
ce bois. Les tonalités de ce matériau trouvent
un écho dans le mobilier, mais quelques éléments
v ennent briser cette uniformité chromatique.

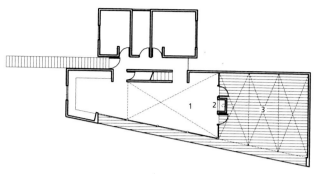

Plan du rez-de-chaussée

1. Séjour
2. Cheminée
3. Terrasse
4. Salon

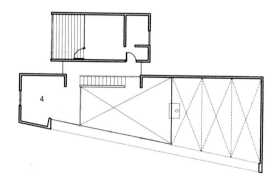

Plan du niveau supérieur

La maison Ugarte, séduisant refuge de week-end au sommet de la falaise Maitencillo Sur, au nord de Santiago, offre des vues spectaculaires sur l'océan Pacifique.

Situé sur la côte du Queensland, ce projet a demandé la rénovation complète d'un bâtiment composé de deux structures indépendantes. L'architecte, pour faire la jonction des parties avant et arrière du complexe, a utilisé des matériaux aussi bien neufs que recyclés. Une cour centrale protégeant les occupants du climat rude de la région constitue à présent le cœur de la structure.

Maison à Mermaid Beach

Paul Uhlmann Architects

Queensland, Australie

Les matériaux utilisés à l'intérieur comme à l'extérieur de cette maison contribuent à créer une ambiance chaleureuse et un sentiment de proximité avec l'environnement, notamment avec la mer.

Située à flanc de colline, cette maison rénovée bénéficie de splendides vues sur les côtes de Santa Monica et de Malibu. En raison des restrictions imposées sur les distances minimales séparant les habitations et leur hauteur respective, le toit a été conçu comme un parapet horizontal partagé par les murs extérieurs et incliné vers le centre. Cette disposition augmente la sensation d'espace à l'intérieur.

Résidence Rochman

Callas Shortridge Architects

Californie, États-Unis

Une paroi de teinte orange le long de l'entrée
définit l'axe transversal de la maison et sépare
les zones privées au niveau inférieur de la zone
de réception du niveau supérieur.

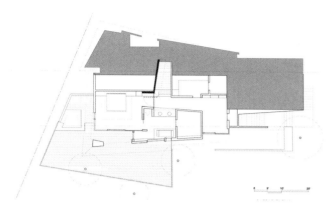

Plan du niveau inférieur

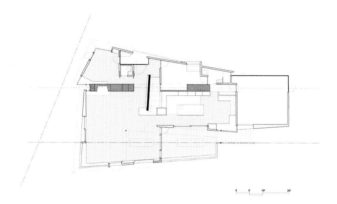

Plan du niveau supérieur

La présence de grandes fenêtres dans toute la maison permet d'admirer le paysage depuis chacune des pièces.

L'escalier situé dans le hall d'entrée de cette maison en dicte l'organisation. Une distinction claire a été instaurée entre les activités de jour et de nuit en rassemblant au rez-de-chaussée la salle à manger, les séjours, une cuisine et un sauna et, à l'étage supérieur, les chambres, toutes dotées de vues sur la mer et la piscine.

Maison en bord de mer

Miami, Floride, États-Unis

La salle à manger, en extérieur, occupe l'espace
intermédiaire entre les deux principaux blocs de
la maison. Une sorte de pergola métallique jetée
entre ces deux parties crée un jeu d'ombres
attrayant.

L'étroitesse du terrain sur lequel est bâtie cette résidence a contraint les architectes à exploiter l'espace au maximum, à la fois en hauteur et en direction de l'eau. Établie sur trois niveaux, la maison possède un rez-de-chaussée, un premier étage et une mezzanine. Pour ne pas réduire la superficie au sol, les architectes ont décidé de placer la piscine au plan supérieur : ils ont ainsi pu relier les deux terrasses et dégager de magnifiques vues sur le paysage.

Maison Shaw

Patkau Architects

Vancouver, Canada

Les grandes fenêtres du salon inondent l'espace intérieur de lumière et offrent de merveilleuses vues sur les montagnes qui se profilent à l'horizon de Vancouver.

Rez-de-chaussée

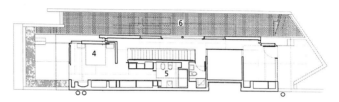

Premier étage

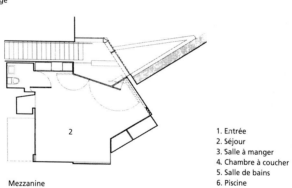

Mezzanine

1. Entrée
2. Séjour
3. Salle à manger
4. Chambre à coucher
5. Salle de bains
6. Piscine

À l'intérieur, de hauts plafonds donnent du volume aux petits espaces. Les zones privées sont regroupées à l'étage supérieur, le niveau inférieur étant réservé aux parties communes.

Le design de cette maison, nichée parmi des dunes et des plantations de thé, à 50 mètres à peine de la côte, s'intègre parfaitement à son décor idyllique. À l'intérieur comme à l'extérieur, cette construction peut s'adapter aux variations des conditions climatiques ; sa structure est en harmonie avec la pureté et la simplicité de son environnement naturel.

Maison à Port Fairy

Farnan Findlay

Victoria, Australie

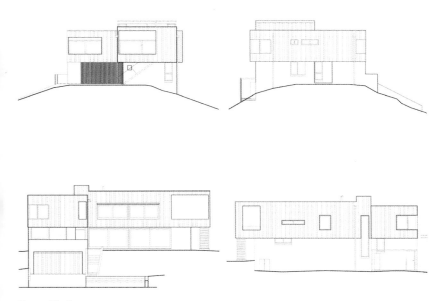

Vues en élévation

Cette habitation prouve combien forme et fonction peuvent s'accorder pour créer un espace qui soit à la fois protégé et ouvert sur l'extérieur, privé et respectueux de son environnement.

224

Cette maison a été construite en forme de demi-lune, afin que toutes les pièces bénéficient d'une vue sur la piscine, également courbe et située au niveau inférieur. Les formes sinueuses et les jeux de volumes à l'intérieur lui donnent un style architectural très particulier. Le blanc est la couleur dominante.

Maison Weiss

Barry Sugerman

Miami, Floride, États-Unis

Chaque chambre dispose de son propre dressing et d'une salle de bains dans laquelle de minuscules carreaux dans un camaïeu de bleus se combinent élégamment à la robinetterie dorée.

Cette maison offre un contraste saisissant entre intérieur et extérieur. Sa façade épurée – un bloc compact en ciment – dissimule un intérieur confortable et présente un design futuriste. Des palmiers, plantés devant la maison et dans la cour intérieure, créent une continuité visuelle entre ces deux espaces.

Maison à Cape Florida

Laure de Mazieres

Miami, Floride, États-Unis

La décoration associe des matériaux comme la pierre, le verre et le métal. L'ensemble donne une impression de confort malgré la prédominance des tons froids.

Cette majestueuse demeure située sur la côte Pacifique du Costa Rica jouit d'un emplacement offrant un panorama de 360 degrés. L'objectif principal des architectes a été d'intégrer la maison à son décor naturel, afin d'en minimiser l'impact sur l'environnement. Le résultat est une composition minimaliste et contemporaine reposant sur une structure innovante et unique.

Maison à Ocotal Beach

Víctor Cañas, Joan Roca/Aquart

Ocotal, Costa Rica

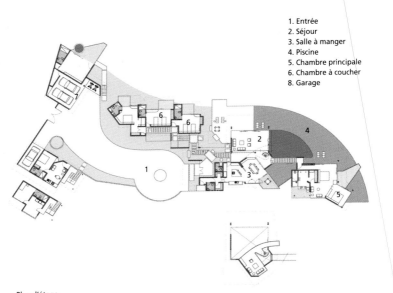

1. Entrée
2. Séjour
3. Salle à manger
4. Piscine
5. Chambre principale
6. Chambre à coucher
8. Garage

Plan d'étage

Située en face du salon, dans la cour extérieure, la piscine se transforme, grâce à un contour presque invisible, en une surface d'eau infinie qui se fond imperceptiblement dans l'océan.

Le choix des matériaux utilisés à la fois à l'intérieur et à l'extérieur, ainsi que les formes géométriques simples, contribuent à donner l'impression que cette maison se fond visuellement dans le décor.

RÉPERTOIRE

pg. 148 **Migdal Arquitectos**
Avenida Prolongación Paseo de la Reforma, 1236, piso
11, Col. Santa Fe, Deleg. Cuajimalpa, 0534, Mexico
D.F., Mexico
+52 55 91 77 01 77
www.migdal.com.mx
© Alberto Moreno

pg. 156 **Pezo von Ellrichshausen Arquitectos**
Lo Pequén, 502, Concepción, Chile
+56 41 221 02 81
www.pezo.cl
© Cristóbal Palma

pg. 166, 172 **Mathias Klotz**
Los Colonos, 0411, Providencia, Santiago, Chile
www.mathiasklotz.com
© Alberto Piovano

pg. 182 **Paul Uhlmann Architects**
301/87 Griffith Street, Coolangatta, Queensland 4225,
Australia
+61 7 55 36 39 11
www.pua.com.au
© David Sandison

pg. 190 **Callas Shortridge Architects**
3621 Hayden Avenue, Culver City, CA 90232, USA
+1 310 280 04 04
www.callas-shortridge.com
© Undine Pröhl

pg. 202
© Pep Escoda. Stylist: Jorge Rangel

pg. 210 **Patkau Architects**
1564 West 6th Avenue, Vancouver, British Columbia
V6J 1R2, Canada
+1 604 683 7633
www.patkau.ca
© Undine Pröhl

pg. 218 **Farnan Findlay Architects Pty Ltd**
Suite 65, 61 Marlborough Street, Surry Hills, Sydney,
NSW, 2010, Australia
+61 2 93 10 25 16
www.farnanfindlay.com.au
© Brett Boardman

pg. 236 **Laure de Mazieres**
3817 NE 2nd Avenue, Miami, FL 33137, USA
 +1 305 576 64 54
www.lauredemazieres.com
© Pep Escoda

pg. 244 **Victor Cañas**
www.victor.canas.co.cr
© Jordi Miralles